大艺术家讲萌趣动物

兔　子

［法］蒂埃里·德迪厄◎著 / 绘　　郑宇芳◎译

四川科学技术出版社

写在前面的话

《美丽中国》纪录片副导演　杨晔

　　从我记事开始，动物总是相伴于我的生活和成长。下雨天，门前马路上跳过的青蛙，动物园里在笼中徘徊的黑豹，小学毕业旅行时在青海湖见到的一群斑头雁，初中在操场做操时飞过树林的一只大猫头鹰……这些记忆伴随着我的成长，为一个孩子的童年带来了无限的快乐和梦想。

　　那时，互联网还没有普及，想要了解动物知识并非易事，介绍动物的科普书大部分是文字版的，而且充满了各种专业名词，对于一个刚刚识字的孩子来说，只能望书兴叹。毕业后，我进入英国广播电视公司（BBC）自然历史部，从事野生动物纪录片的相关制作工作。在工作之余的闲暇时光，我和同事们一起吃饭聊天，才知道他们并不一定是野生动物专业科班出身，但他们从小都非常热爱自然、热爱动物。他们通过各种渠道来了解动物们的种种故事，而图书，特别是那些制作精美、画面生动的科普图画书，曾在他们幼小的心灵里播撒下了科学的种子，激起了他们对自然的热爱、对动物保护的兴趣，促使他们将这种热爱和兴趣发展成为职业，从而开始了动物保护事业。

今天，我很高兴可以和大家聊聊这样的科普图画书。这套《大艺术家讲萌趣动物》由法国著名的艺术家、图画书作家蒂埃里·德迪厄创作，他在法国享有盛名，曾荣获女巫奖、龚古尔文学奖等重要奖项。为了表彰他在儿童文学领域取得的巨大成就，2010年，他被授予法国儿童图书大奖——"魔法师特别大奖"。他的画风简洁、活泼可爱，文笔则透露出机智和幽默，深受小朋友们的喜爱。这套专门为学龄前儿童创作的图画书简约但不简单，作者精心选取了自然界中孩子们最感兴趣的多种动物，用幽默风趣的绘画和简洁明了的文字描绘了这些动物或广为人知，或普通人鲜有耳闻的行为和习性，从而帮助孩子们走近和了解这些动物。通过阅读这些书，孩子们了解到：童话中的大灰狼在现实中也有它害怕的天敌；勤劳的蜜蜂是舞蹈高手，因为它们要通过跳舞来传递信息；大猩猩和人类一样，也会使用工具；雄狮的工作不是捕食，而是巡视领地……这些知识对孩子们而言十分容易理解和接受，孩子们通过阅读，能感受动物世界的神奇与美好，而这也正是作者希望通过这些书传递给小读者们的情感。

作为一名科普教育工作者，我为孩子们有机会读到这样的优质图书而高兴。希望孩子们在阅读之后，能更好地感知和认识动物的生存价值，尊重和爱护它们；将动物当作人类真正的朋友，不去伤害它们，和它们和平共处，共同维护更加美好的地球家园。

让我们一起走进美好的动物世界，去感受自然的神奇和伟大吧！

"嘿，慢点儿，
我快跟不上你们了。"

这边

这边

这边

这边

这边

还有这边 →

兔子几乎能一眼看到所有的方位：
前、后、左、右。

这边

兔子的骨骼构造特别适合跳跃和奔跑。

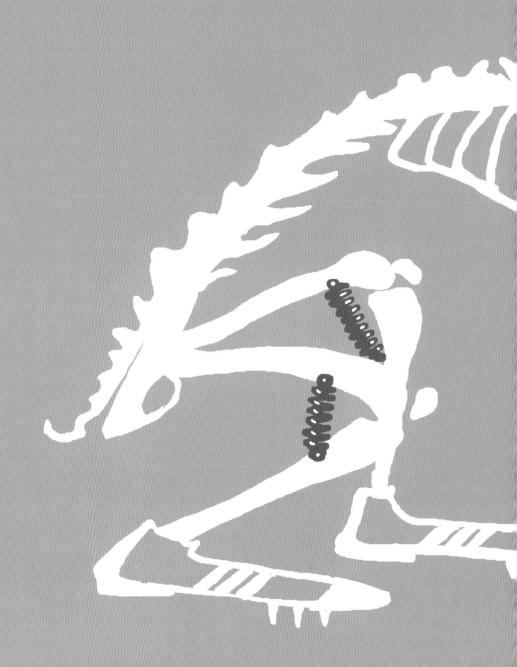

兔子能发出咕咕、叽叽、吱吱等多种叫声。

刚出生的兔宝宝全身光溜溜的，也看不见东西。

兔子的繁殖能力特别强。

兔子喜欢在地下挖洞，以便躲藏。

兔子是草食动物。

兔子的牙齿一直在生长，
所以它必须不断地磨牙，才能维持适当的长度。

当兔子遇到危险、感到害怕的时候，
它会用脚拍打地面，向同伴发出警告。

兔子主要的敌人有：狐狸、猛禽、猎人，还有汽车。

"快点儿给我出来！
这一点儿也不有趣，
大家都在看着呢！"

可爱的兔子是人类的好朋友，这些长耳朵、三瓣嘴、大板牙、爱蹦爱跳的精灵让无数人着迷。

兔子的种群数量庞大，广泛分布在除南极以外的所有大陆。作为食物链底端的草食动物，兔子依靠惊人的繁殖力维持着稳定的数量。

大家都非常喜爱的白兔是由穴兔驯化而来的，由于白兔的身体里缺少能转化成黑色素的氨基酸，所以会出现红色的眼睛、粉色的鼻子和耳朵。

看似性格温顺的兔子其实也有暴躁的一面，特别是在遇到危险和求偶的时候，兔子们会毫不犹豫地投入战斗。

有很多小朋友喜欢把兔子当宠物。一定要记住，合理的喂养至关重要。笼舍的整洁程度、食物的新鲜程度和含水量都会影响兔子的寿命。我们总是听说兔子爱吃菜，不喝水，其实这是错误的观念。蔬菜中过多的水分会导致兔子拉肚子，而正常饮水则是兔子生存所必需的，草类和干饲料才是它们的重要食物。

了解了这么多，你是不是也想好好地养一只兔子呢？希望你能照顾好你的兔子宠物，因为它们实在是太惹人喜爱了。

图书在版编目（CIP）数据

大艺术家讲萌趣动物.兔子/（法）蒂埃里·德迪厄
著、绘；郑宇芳译.--成都：四川科学技术出版社，
2021.8
　ISBN 978-7-5727-0210-5

　Ⅰ.①大… Ⅱ.①蒂…②郑… Ⅲ.①动物－儿童读
物②兔－儿童读物 Ⅳ.① Q95-49 ② Q959.836-49

中国版本图书馆CIP数据核字(2021)第156545号

著作权合同登记图进字21-2021-254号
Le lapin
By Thierry Dedieu
© Editions du Seuil, 2015
Simplified Chinese translation copyright © 2021 by TB Publishing Limited
All Rights Reserved.

大艺术家讲萌趣动物·兔子

DA YISHUJIA JIANG MENG QU DONGWU · TUZI

出 品 人	程佳月
著　者	［法］蒂埃里·德迪厄
译　者	郑宇芳
责任编辑	梅 红
助理编辑	张 姗
策　划	奇想国童书
特约编辑	李 辉
特约美编	李困困
责任出版	欧晓春
出版发行	四川科学技术出版社

成都市槐树街2号　邮政编码：610031
官方微博：http://weibo.com/sckjcbs
官方微信公众号：sckjcbs

传真：028-87734035

成品尺寸	180mm×260mm	印 张	2	
字 数	40千	印 刷	河北鹏润印刷有限公司	
版 次	2021年10月第1版	印 次	2021年10月第1次印刷	
定 价	16.80元	ISBN 978-7-5727-0210-5